P9-EKH-116

MANOLO

Un **cochon** de petit fantôme

Les 400 coups

Sandrine Beau
Coralie Saudo

Pour Oscar et Matéo. S. B.

À Arthur et Lucile. C. S.

MANOLO

Un cochon de petit fantôme

Les 400 coups

Sandrine Beau
Coralie Saudo

Nous remercions le Conseil des arts du Canada de l'aide accordée à notre programme de publication et la SODEC pour son appui financier en vertu du Programme d'aide aux entreprises du livre et de l'édition spécialisée.

Nous reconnaissons l'aide financière du gouvernement du Canada par l'entremise du Fonds du livre du Canada (FLC) pour nos activités d'édition.

Gouvernement du Québec – Programme de crédit d'impôt pour l'édition de livres – Gestion SODEC

Un cochon de petit fantôme
a été publié sous la direction d'Yves Nadon et de France Leduc.

Design graphique : Tatou Communication Visuelle
Révision et Correction : Philippe Paré-Moreau

© 2013 Sandrine Beau, Coralie Saudo et les Éditions Les 400 coups

Montréal (Québec) Canada

Dépôt légal – 3e trimestre 2013
Bibliothèque et Archives nationales du Québec
Bibliothèque et Archives Canada

ISBN 978-2-89540-612-9

Loi 49-956 du 16 juillet 1949 sur les publications destinées à la jeunesse.

- - - - - - - - - - - - - - -

Catalogage avant publication de Bibliothèque et Archives nationales du Québec et Bibliothèque et Archives Canada

Beau, Sandrine, 1968-
Manolo, un cochon de petit fantôme

Pour enfants.

ISBN 978-2-89540-612-9

I. Saudo, Coralie. II. Titre.

PZ23.B42Ma 2013   j843'.92   C2013-940349-3

Comme tous les soirs,
en rentrant de l'école,
Manolo le petit fantôme
a un problème :
son beau drap blanc
n'est plus blanc du tout.

De la tête aux pieds, il est gris,
d'avoir tant ri à faire des chatouilles-parties.
Et oui, la poussière par terre, ça salit !

Sur le menton, il a du marron,
c'est le chocolat
que lui a donné Marion.

Sur les genoux, deux taches vertes
d'avoir roulé dans l'herbe,
en faisant des galipettes.

Sur les fesses, pleins de petits points violets...
... la faute à sa chute dans le panier !

« Maman ne va pas
être contente », pense Manolo.
Et ce soir, comme tous les soirs, elle va dire :
« *Tu es vraiment un cochon
de petit fantôme, Manolo !* »

Mais aujourd'hui, le petit fantôme
n'a pas envie que maman se fâche.
Il ouvre son sac et il fouille dedans.
Il prend ses couleurs, son pinceau
et il s'approche d'une flaque d'eau.

Pour commencer,
Manolo se peint
un nez rouge.
Quel clown !

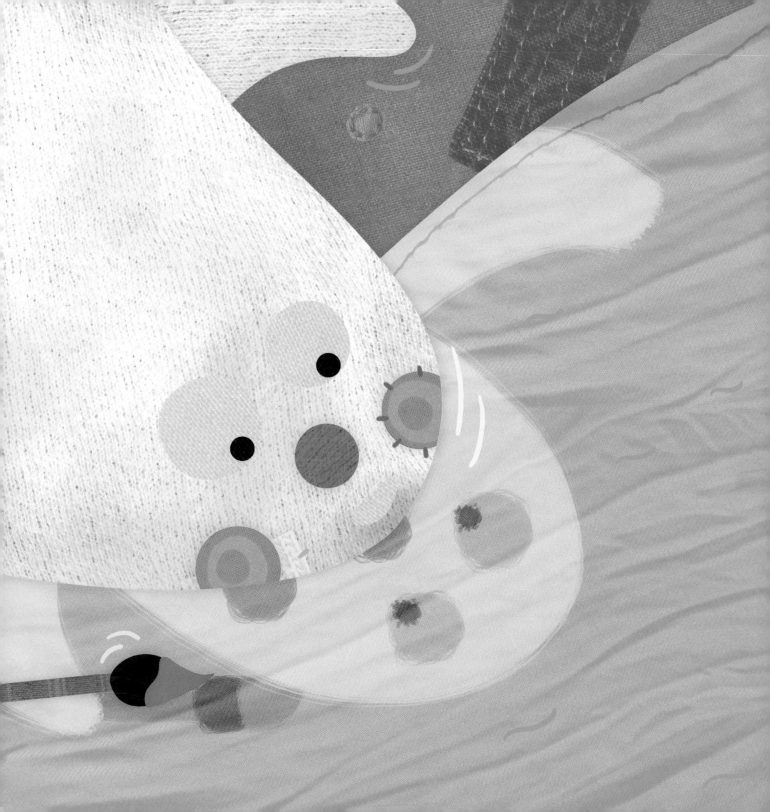

Manolo s'amuse
comme un fou.
Il en met partout !

Soudain,
maman ouvre
la porte :
« **Oh !** »

Manolo écarte son drap avec ses bras et s'écrie
« Je suis le fantôme arc-en-ciel ! »

Maman rit :
« Un arc-en-ciel ne dure jamais longtemps,
alors vite ! On va faire une photo,
avant qu'il recommence à faire beau...
et que tu passes sous l'eau,
mon petit crapouillot ! »